D1093619

ISABELLE BOCHOT

J'APPRENDS À PEINDRE ET À DESSINER

GOUACHE • CRAYON DE COULEUR • FEUTRE

  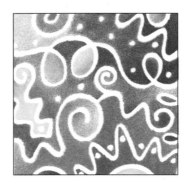

Les quatre livres réunis dans cet ouvrage :
Les couleurs • Les feutres • Les crayons de couleur • La gouache
font partie de la collection **"J'apprends à dessiner"**
aux éditions Fleurus.

EDITIONS
FLEURUS

Éditions Fleurus, 15-27 rue Moussorgski, 75018 Paris

LES COULEURS

La ronde des couleurs

Tu vis dans un monde de toutes les couleurs. Sais-tu que ces couleurs ont une influence sur notre humeur, qu'elles peuvent nous rendre gais ou tristes, calmes ou excités?

On dit de certaines couleurs qu'elles sont « chaudes », par exemple le jaune et le rouge, parce qu'en les regardant, tu as une impression de chaleur, de gaieté. D'autres sont « froides », comme le bleu, le vert : elles donnent une impression de profondeur, de calme, de froid.

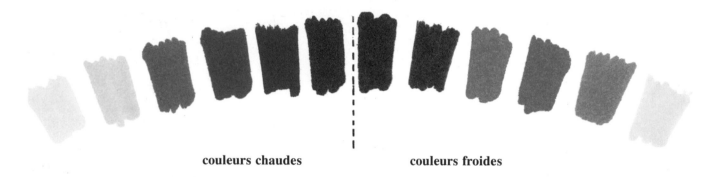

couleurs chaudes   couleurs froides

Les trois couleurs principales sont le bleu, le jaune et le rouge.
On les appelle les couleurs primaires. A partir de ces trois couleurs, tu peux obtenir toutes les autres.

Pour faire tes mélanges, choisis dans ta boîte de peinture le bleu primaire ou cyan, le jaune primaire et le rouge primaire ou magenta. Tu auras des couleurs plus belles. Pour t'aider, tu trouveras pages 22-23 un tableau des mélanges de base.

Le bleu

Le bleu est la couleur du ciel, de la mer, de l'espace.
Cette couleur a un effet calmant, reposant.
C'est une couleur froide.

Découvre les noms de six bleus différents:

bleu des mers du sud

bleu nuit

bleu turquoise

bleu ardoise

bleu layette

bleu France

PETITE HISTOIRE DES COULEURS

Pour les reconnaître, on a donné aux différentes couleurs le nom de plantes (bleu jacinthe, rouge tomate), d'animaux (gris souris, rose crevette), de pierres (bleu turquoise, noir charbon) et même de pays (bleu de Prusse, jaune du Japon).

7

Le jaune

Le jaune est la couleur du soleil, donc de la lumière.
C'est une couleur chaude, gaie, tonique qui chasse la tristesse.
Certains jaunes sont si brillants qu'ils ressemblent à de l'or.
Si tu as les cheveux de cette couleur, on dit qu'ils sont blonds.
On dit même « blonds comme les blés ».

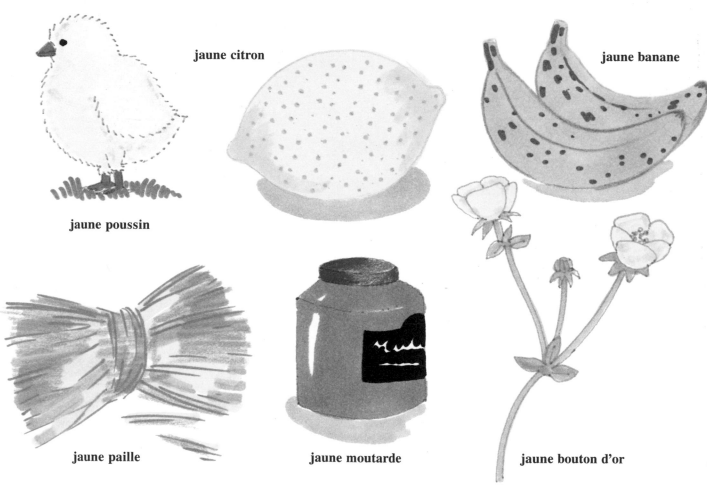

jaune poussin

jaune citron

jaune banane

jaune paille

jaune moutarde

jaune bouton d'or

PETITE HISTOIRE DES COULEURS

Les couleurs se retrouvent dans beaucoup d'expressions que tu connais sûrement : rouge comme une tomate, vert de peur, bleu de froid, voir la vie en rose, être fleur bleue, blanc comme un linge, avoir des idées noires…

8

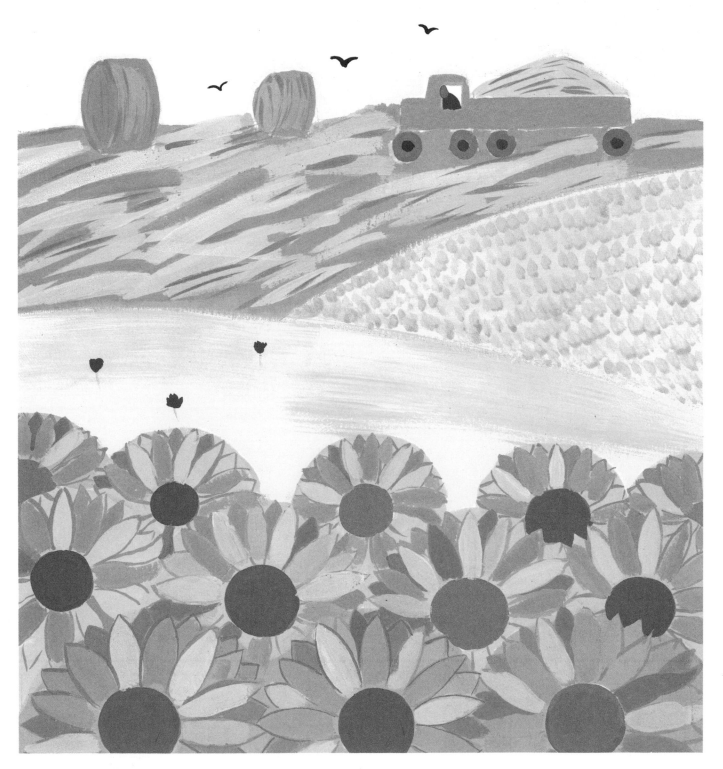

Le rouge

Le rouge est une couleur violente, dynamique, joyeuse.
C'est la couleur de la passion, du coeur.
C'est une couleur chaude.

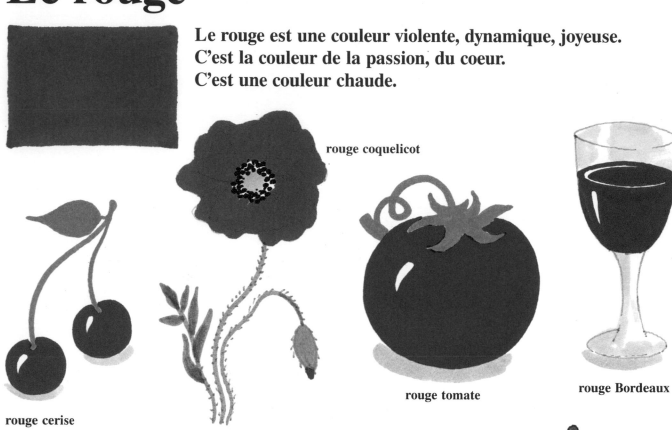

rouge coquelicot

rouge tomate

rouge Bordeaux

rouge cerise

Le rouge se voit de très loin et signale le danger ou l'interdit.
Sur la route, feu rouge = arrêt absolu des véhicules. Panneaux
rouges = danger ou interdiction. Au bord de la mer,
drapeau rouge = baignade interdite. C'est la couleur
du matériel d'incendie, du signal d'alarme.

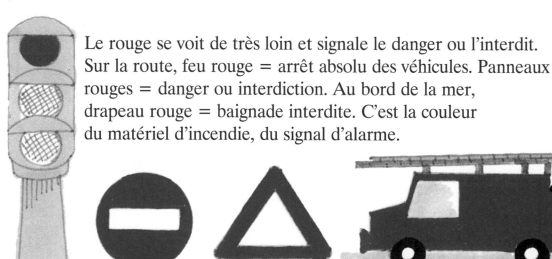

baignade
interdite

feu rouge

panneau
sens interdit

panneau danger

camion de pompiers

10

Le vert

Le vert est une couleur froide, apaisante. C'est la couleur des plantes, de l'herbe; elle donne un effet de fraîcheur. On peut obtenir différents verts en variant la quantité de bleu et de jaune. Selon ton mélange, le vert ira plutôt vers le bleu (on dit bleu-vert) ou vers le jaune (on dit vert-jaune).

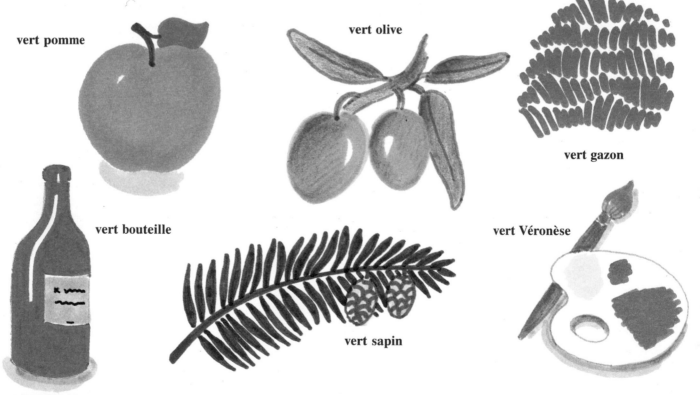

vert pomme

vert olive

vert gazon

vert bouteille

vert Véronèse

vert sapin

PETITE HISTOIRE DES COULEURS

Certains grands peintres ont donné leur nom à une couleur qu'ils ont inventée: ainsi on parle de vert Véronèse (peintre italien), de brun Van Dyck (peintre flamand), de bleu Vermeer (peintre hollandais).

L'orange

L'orange est la couleur du feu, de l'énergie. C'est une couleur chaude, gaie et stimulante, par exemple pour l'appétit. Pour les cheveux, les feuilles d'automne, les chats de cette couleur, on dira qu'ils sont « roux ».

carotte

mandarine

roux

abricot

feuille-morte

capucine

PETITE HISTOIRE DES COULEURS

Les couleurs ont parfois pris le nom d'épices (jaune safran, rouge paprika), de fleuves (vert Nil) et de matériaux (couleur sable, rouge brique).

Le violet

Le violet est la couleur du mystère, de la rêverie. Les personnes âgées portent souvent cette couleur. Pour certains c'est une couleur douce, pour d'autres elle est mélancolique. Et toi aimes-tu cette couleur?

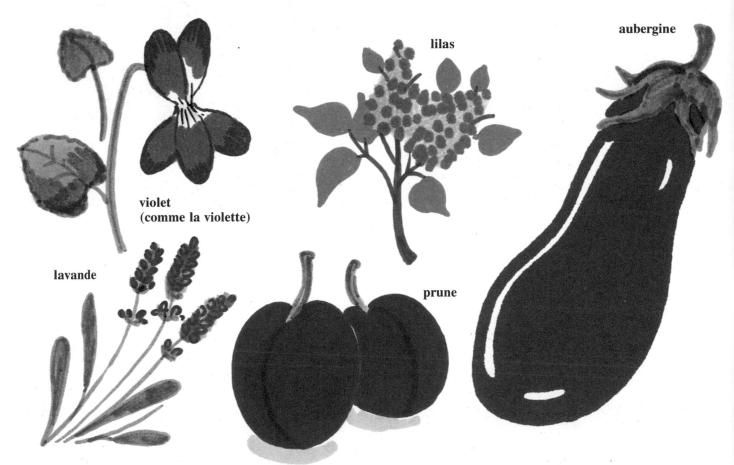

violet
(comme la violette)

lilas

aubergine

lavande

prune

Les fruits de l'automne sont violets foncés, presque noirs: raisin noir, figues, prunes, mûres, cassis et myrtilles. Certains violets « tirent » vers le rouge, et d'autres vers le bleu.

Le marron ou le brun

Le marron est une couleur compacte, solide. C'est une couleur chaude, car elle contient du rouge et du jaune. Les bruns très clairs s'appellent grège, crème, écru, beige, sable, coquille d'œuf, caramel.

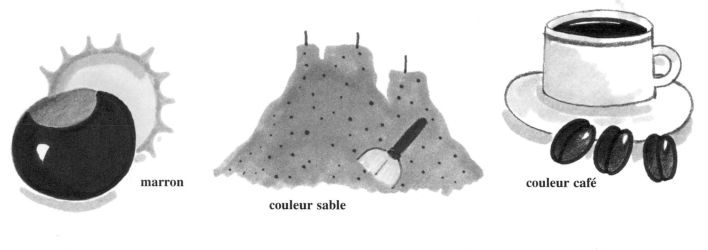

marron

couleur sable

couleur café

terre d'ombre

caramel

PETITE HISTOIRE DES COULEURS

Le marron, couleur de la terre, peut s'appeler « terre-de-Sienne » ou « terre d'ombre ». Les différents marrons portent le nom d'épices (cannelle, tabac), de bois (acajou) ou d'animaux (castor, chamois).

19

Le noir, le blanc, le gris

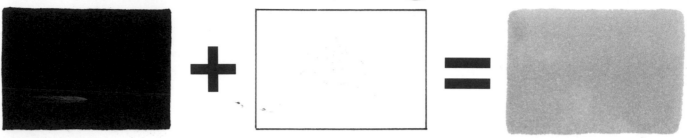

Tu ne peux fabriquer ni le noir ni le blanc. Ce sont des couleurs à part. En Europe, le noir est la couleur du deuil, de la tristesse. Le blanc représente la pureté, l'éclat, le gris exprime la monotonie.

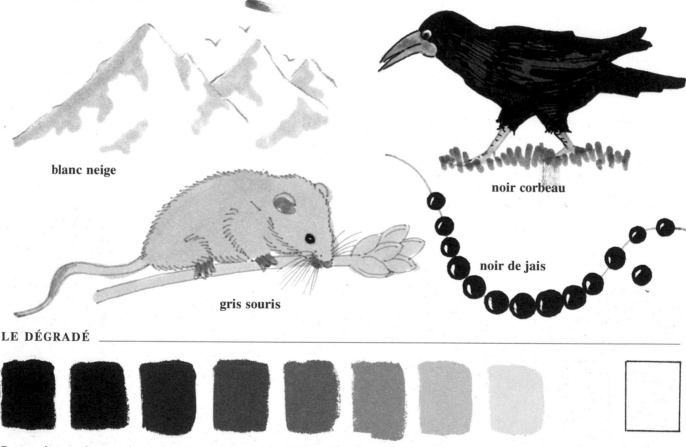

blanc neige

noir corbeau

gris souris

noir de jais

LE DÉGRADÉ

Le noir est la couleur la plus foncée, le blanc la plus claire. Entre le noir et le blanc, il y a tous les gris. Pars du noir, ajoute petit à petit du blanc, tu vas arriver à du blanc pur : c'est ce que l'on appelle un dégradé. Tu peux faire la même chose avec d'autres couleurs.

21

La palette des mélanges

Ce tableau te montre quelques mélanges de base.

Si tu ajoutes du blanc à une couleur, elle s'éclaircit.
Au contraire si tu ajoutes du noir, la couleur devient plus foncée.
Crée tes couleurs et amuse-toi à faire des milliers de mélanges.

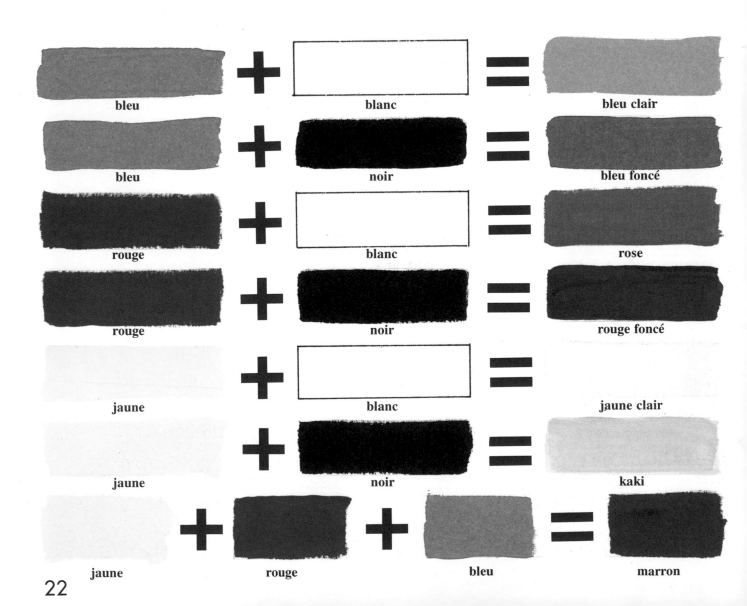

bleu	+	blanc	=	bleu clair
bleu	+	noir	=	bleu foncé
rouge	+	blanc	=	rose
rouge	+	noir	=	rouge foncé
jaune	+	blanc	=	jaune clair
jaune	+	noir	=	kaki
jaune	+	rouge	+ bleu	=	marron

22

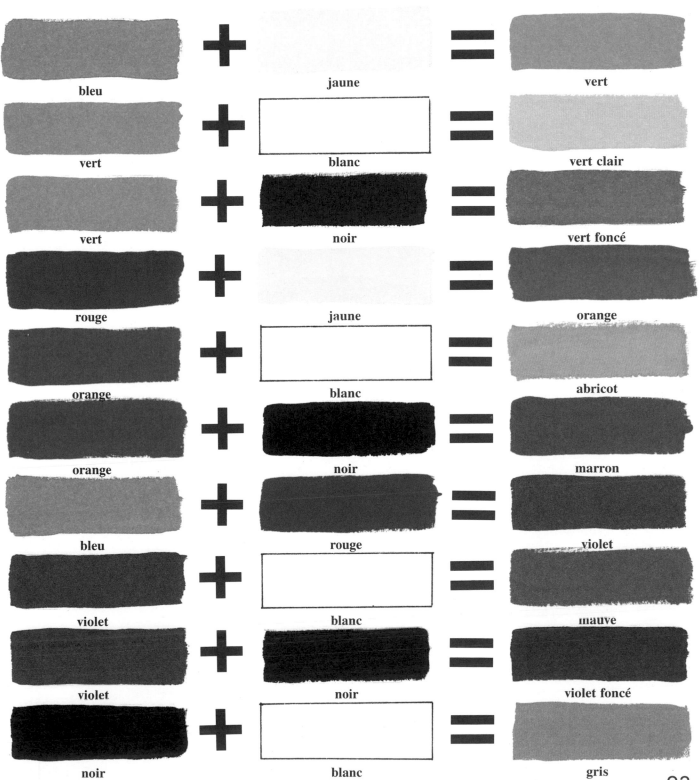

bleu	+ jaune	= vert
vert	+ blanc	= vert clair
vert	+ noir	= vert foncé
rouge	+ jaune	= orange
orange	+ blanc	= abricot
orange	+ noir	= marron
bleu	+ rouge	= violet
violet	+ blanc	= mauve
violet	+ noir	= violet foncé
noir	+ blanc	= gris

23

La lumière est magique

C'est la nuit. Tout est noir. Le ciel n'est plus bleu, les arbres ne sont plus verts, les fleurs ne sont plus rouges. Les couleurs ont disparu avec le soleil.

C'est grâce à la lumière que les couleurs existent. Le soleil est jaune, il t'éblouit. Mais si tu pouvais le regarder de très près, tu verrais qu'il contient sept couleurs, sept rayons lumineux qui sont les sept couleurs de l'arc-en-ciel: violet, indigo, bleu, vert, jaune, orange et rouge.

Pourquoi vois-tu une pomme **rouge**, une feuille **verte**, le ciel **bleu**? La lumière touche un objet avec ses sept rayons lumineux: cet objet en renvoie un ou plusieurs (le rouge, le vert, le bleu etc.) et absorbe les autres qui deviennent invisibles.

Les rayons touchent la pomme.

La pomme n'en renvoie qu'un seul: le rouge.

24

Autour de toi, tout change de couleur avec la lumière.

Le même paysage se transforme, du lever au coucher du soleil.

LES FEUTRES

Petite histoire des feutres

Le feutre a été inventé au Japon en 1963.

Un feutre est un stylo muni d'une mèche imbibée d'encre. L'encre sèche très vite, mais ne se gomme pas. Il existe des feutres à l'eau ou à l'alcool.

On trouve aussi des feutres fluo, dorés ou argentés, des feutres qui changent de couleur ou opaques, mais travaille d'abord avec des feutres à l'eau ordinaires.

Le matériel

Le papier doit être lisse pour faire glisser l'encre et blanc pour faire ressortir les couleurs. N'utilise ni papier de couleur, ni kraft, ni calque, ni papier à grain qui ne conviennent pas au feutre. Le bloc de papier « spécial feutres » ou *lay-out* (vendu dans les magasins de fournitures de dessin) donnera le meilleur résultat.

Il te faut 12 feutres ou mieux 20 feutres à pointe moyenne, que tu peux acheter en pochette ou à l'unité. Quelques feutres à pointe ronde large et quelques marqueurs ou feutres-pinceaux. Pour dessiner les formes : un feutre fin gris ou beige, un feutre fin noir indélébile, qui empêche le trait noir de baver sur la couleur.

28

Les différents feutres

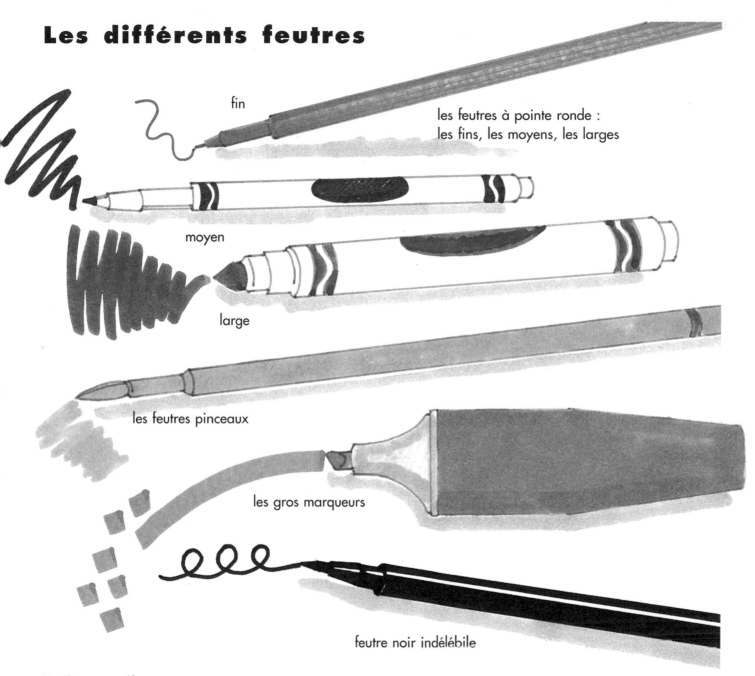

fin

les feutres à pointe ronde :
les fins, les moyens, les larges

moyen

large

les feutres pinceaux

les gros marqueurs

feutre noir indélébile

Petit conseil...

Avec ce livre, tu apprendras à dessiner directement au feutre, sans utiliser avant un crayon noir, sans gommer. Tu auras un trait plus naturel, et tu sauras « dessiner » des formes avec des taches de couleur. Inspire-toi des modèles sur les pages de droite pour découvrir les différentes manières de colorier.

Dans quel sens colorier ?

Voici 4 manières de colorier au feutre :

vertical

horizontal

Les sens vertical et horizontal donnent l'impression de **« plat »**. Serre bien les traits pour faire un fond uni. Les feutres fins ou moyens laissent des traces : on ne peut pas colorier autrement. Cela crée un bel effet de matière avec des reflets.

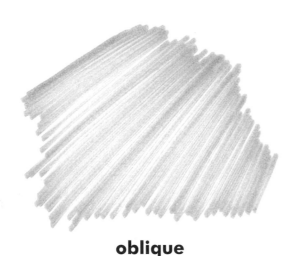

oblique

en arrondi

Colorie en oblique ou en arrondi : les traits prennent la forme des objets. Un ballon paraît rond, un visage bombé, un saladier creux : cela donne l'impression de **volume**.

Les couleurs se mélangent...

L'encre des feutres est transparente : les couleurs se superposent ! Tu peux donc mélanger tes couleurs comme de la peinture. Voici quelques exemples de mélanges : rouge + bleu = violet, jaune + bleu = vert, rouge + jaune = orange, etc.

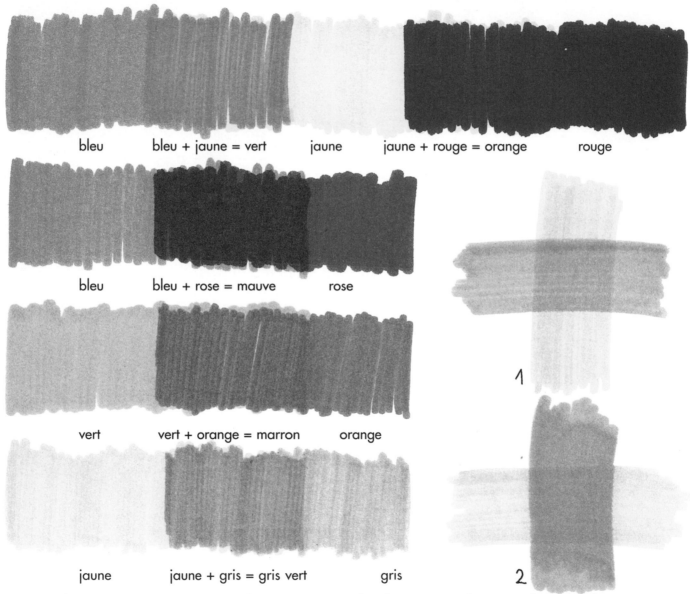

bleu   bleu + jaune = vert   jaune   jaune + rouge = orange   rouge

bleu   bleu + rose = mauve   rose

vert   vert + orange = marron   orange

1

jaune   jaune + gris = gris vert   gris

2

Attention : commence toujours par colorier avec les couleurs claires (1) jaune, puis vert. Les couleurs foncées recouvrent les couleurs claires (2).

33

Jouer avec le blanc

Avec les feutres, tu ne peux pas colorier en blanc. C'est le blanc du papier non colorié qui donnera les blancs de ton dessin. Garder une forme en blanc, cela s'appelle **« réserver » une forme**.

Colorie un fond en laissant des formes en blanc. Entraîne-toi à réserver en blanc des nuages, des fumées de cheminée, un fantôme, etc.

Colorie petit à petit certaines de tes formes blanches. Sur le même fond, certaines couleurs se détachent très bien, (rouge sur vert) et d'autres moins (bleu clair sur vert) : on appelle cela le **contraste des couleurs**.

35

Colorier une forme

Dessine les formes (ici des totems) avec un feutre noir fin indélébile : tu obtiens des petites, moyennes et grandes surfaces à colorier. Les feutres extra-larges ou marqueurs te servent pour couvrir les fonds (ici les bandes), les feutres moyens pour colorier les formes des totems, et les fins pour les détails. Laisse quelques blancs pour aérer ton dessin.

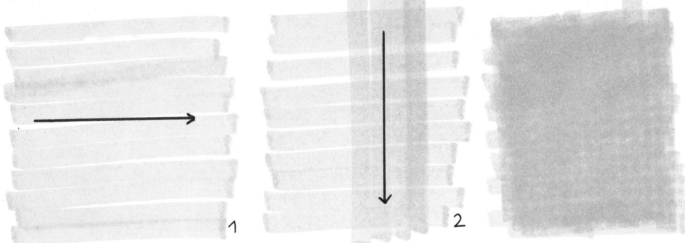

Pour faire un fond uni, trace des traits horizontaux en les serrant le plus possible (1). S'il reste du blanc, repasse sur ton dessin avec des traits verticaux (2).

Colorier sans dépasser

Pour colorier une forme, trace le contour intérieur avec une pointe moyenne. Remplis ensuite la forme avec ta couleur. Ceci est valable pour toutes les surfaces !

Colorier avec des taches

Dessine et colorie en même temps en te servant des feutres comme de pinceaux : à la manière des impressionnistes, représente les formes avec des taches. Crée des fonds, des imprimés, des motifs...

Joue avec les mariages de couleur, en plaçant côte à côte des couleurs opposées ou très proches. Imagine des taches de taille et de forme différentes.

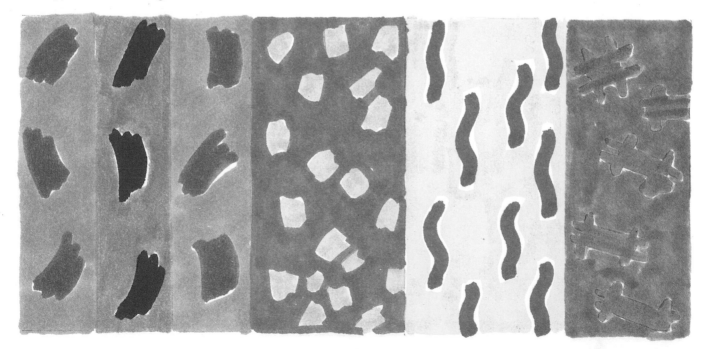

39

Colorier avec des traits

Amuse-toi à colorier uniquement avec des traits : en partant d'un point, construis autour une spirale, un carré, un triangle, puis une vague, un arbre, etc.

Plus tu serres les traits, plus la couleur est foncée… Plus tu les espaces, plus la couleur paraît claire.

Tu peux partir de l'intérieur ou de l'extérieur de la forme. Essaye de faire un paysage en variant les différentes épaisseurs de feutres.

40

41

Un dessin tout en points...

Voici une autre manière de colorier avec des feutres : décompose chaque ligne en une suite de points. Entraîne-toi d'abord avec des pointes larges et moyennes pour travailler plus vite.

Plus tu rapproches les points, plus la couleur est foncée. Plus tu les espaces, plus la couleur semble claire.

Invente un paysage tout en points avec des lignes droites, courbes, brisées.

43

Un dessin puzzle

Le feutre est parfait pour dessiner en « cloisonnant » des formes, comme dans un vitrail ou un puzzle. Dessine des motifs en les répétant en rythme avec un feutre fin gris (étoile, lune ; étoile, lune). Relie les formes entre elles par des traits horizontaux, obliques, arrondis.

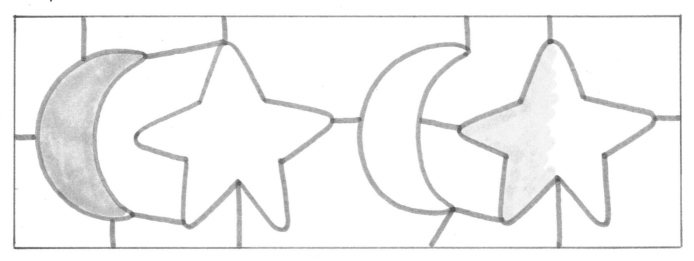

Colorie ensuite tes motifs avec la même couleur (ex : jaune). Puis remplis tes surfaces avec 4 ou 5 couleurs très proches : par exemple, bleu clair, bleu turquoise, bleu marine et violet.

Enfin, à l'aide d'un gros feutre noir, repasse sur les traits de séparation : tu obtiens un joli vitrail.

45

Du clair au foncé

Les marqueurs ont des pointes biseautées très larges. Ils te permettent de colorier très vite un fond. Choisis 7 ou 8 marqueurs dans la même famille de couleur (ici rouge). Applique-les côte à côte, tu obtiens un **camaïeu**.

exemple de camaïeu rouge

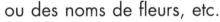

exemple de camaïeu bleu

Pour faire le tableau page de droite, colle sur une feuille blanche des petits morceaux de ruban adhésif repositionnable ou des gommettes. Colorie le fond en allant du clair au foncé. Enlève ensuite les adhésifs : dans les blancs, écris des prénoms ou des noms de fleurs, etc.

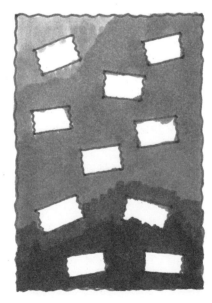

46

rose

pensée

œillet

tulipe

jacinthe

lilas

orchidée

glaïeul

dahlia

pois de senteur

souci

anémone

LES CRAYONS
DE COULEUR

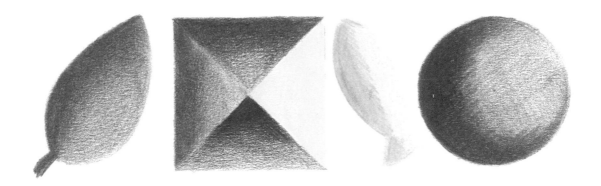

Comment est fait un crayon de couleur ?

Il y a 2 parties dans un crayon de couleur : une mine et un corps en bois.
La mine est faite avec des poudres colorées mélangées avec de la cire et de l'argile.

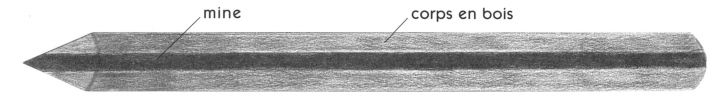

mine   corps en bois

Travaille avec une boîte de 12 ou 24 crayons de bonne qualité, à mine tendre, pour avoir de belles couleurs.

Les qualités du crayon de couleur

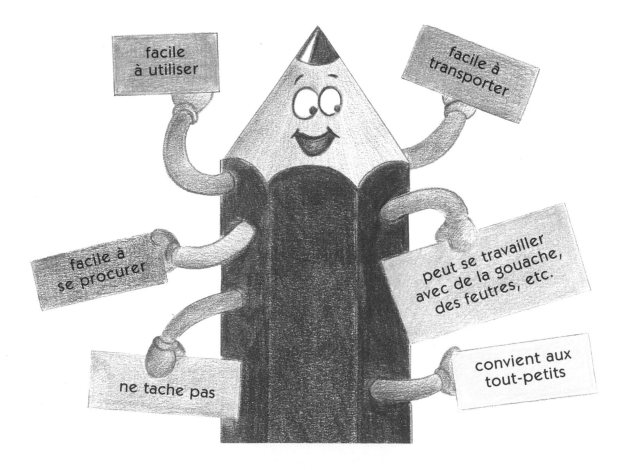

facile
à utiliser

facile à
transporter

facile à
se procurer

peut se travailler
avec de la gouache,
des feutres, etc.

ne tache pas

convient aux
tout-petits

Les papiers

Dessine sur du papier ordinaire pour t'entraîner, puis sur tous les papiers à dessin, blancs ou de couleur : ces papiers ont des petites bosses, qu'on appelle «grain». Plus le grain est gros, plus le dessin a du relief. Utilise aussi du papier kraft, du calque, du papier recyclé clair.

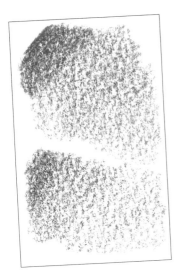   

Le taille-crayons
Choisis un taille-crayons en métal.
Taille tes crayons pointus
si tu veux des traits fins et précis.
Laisse la mine arrondie pour
faire des traits plus larges
et colorier une grande surface.

La gomme plastique
Le crayon de couleur se gomme difficilement. La gomme «fond» les dessins, les éclaircit.

Frotte aussi avec tes doigts, un coton ou un chiffon pour estomper les couleurs, les rendre floues.

Dégradés faciles

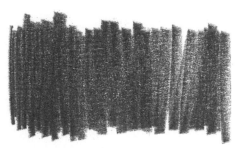

1- Sur du papier à dessin, appuie fort sur ton crayon en coloriant de haut en bas. La couleur est vive, opaque.

2- Appuie moins fort : la couleur est plus claire.

3- Appuie très peu en coloriant : la couleur est pâle, transparente.

4- Colorie des bandes du foncé au clair : tu as fait un **dégradé.**

La couleur du crayon se mélange à la couleur du papier.

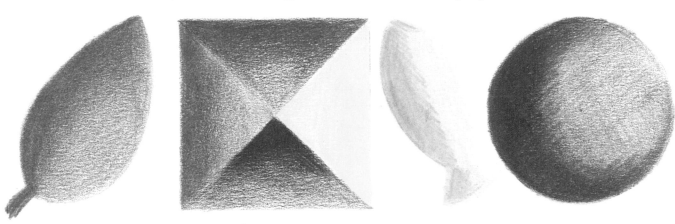

Colorie des formes en jouant avec le clair et le foncé, c'est-à-dire l'ombre et la lumière. Les formes prennent du volume, de l'épaisseur.

Les couleurs jouent à cache-cache

jaune   jaune + bleu clair   jaune + bleu turquoise

Frotte un crayon jaune sur un papier à grain pour mieux voir le relief. La mine couvre certaines "bosses" mais pas toutes !

Repasse dessus avec un crayon bleu. La mine remplit d'autres creux : les deux couleurs se mélangent. Cela fait du vert !

Cherche d'autres mélanges de couleur :

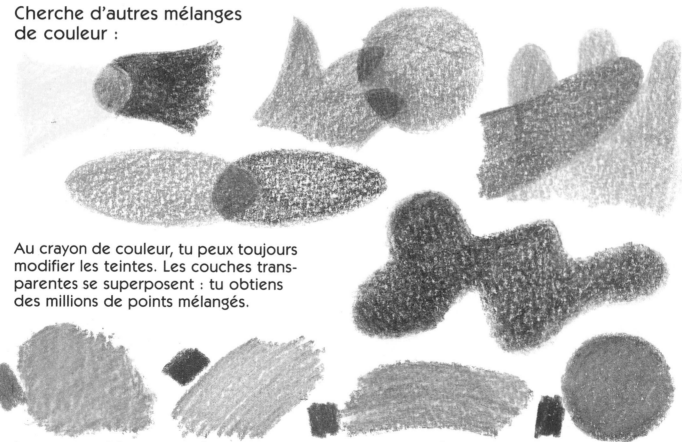

Au crayon de couleur, tu peux toujours modifier les teintes. Les couches transparentes se superposent : tu obtiens des millions de points mélangés.

Le crayon blanc passé sur d'autres couleurs les éclaircit. Il fond les traits et adoucit la couleur.

55

Drôles de hachures !

Les hachures sont des traits, espacés ou serrés, tracés dans le même sens ou croisés. Taille bien tes crayons pour avoir des traits nets et précis.

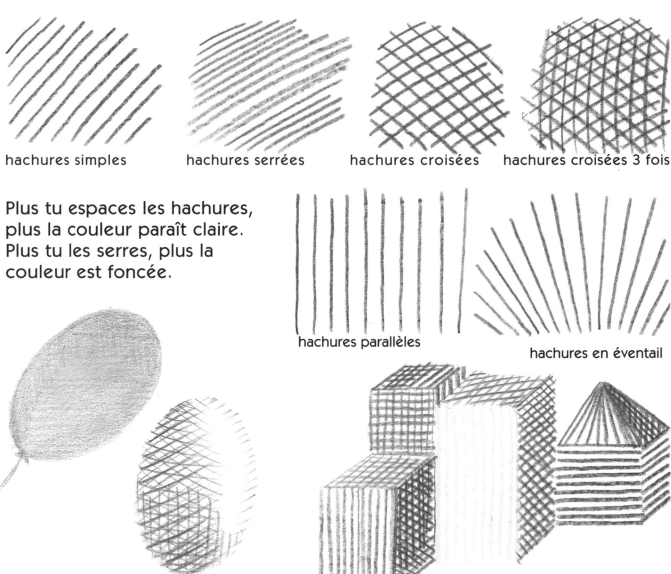

hachures simples

hachures serrées

hachures croisées

hachures croisées 3 fois

Plus tu espaces les hachures, plus la couleur paraît claire. Plus tu les serres, plus la couleur est foncée.

hachures parallèles

hachures en éventail

Les hachures, selon leur direction, donnent du volume à un dessin, de l'ombre et de la lumière.

Le mélange des hachures verticales, horizontales, obliques, apporte un effet de profondeur.

56

57

Couleur sur couleur

Le même dessin, coloré de la même manière, sera différent sur papier rouge, bleu ou noir... Le crayon se «mélange» avec le fond : les jaunes sont absorbés par le papier rouge et ressortent mieux sur le bleu. Plus le crayon est différent du fond, plus il se voit : un trait brun sur un papier noir est invisible !

Ci-dessous, sur fond gris, on obtient deux résultats différents :

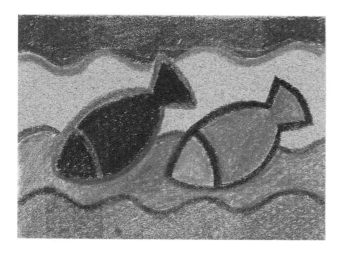 

Les couleurs vives, plus foncées que le fond, se détachent bien.

Avec des couleurs pastel, le dessin se distingue peu du fond gris et reste pâle.

Sur des fonds foncés, utilise plutôt des couleurs claires.
Sur des fonds clairs, utilise plutôt des couleurs foncées.

58

Points, traits, taches et compagnie

Selon le sujet que tu dessines et ce que tu veux exprimer, choisis des traits légers et réguliers, ou au contraire énergiques et appuyés.

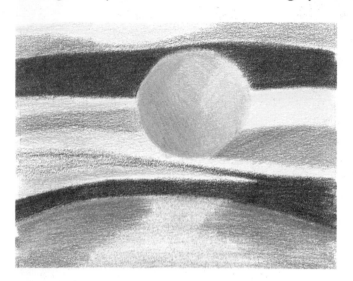 

Dessine aussi des points ou des motifs différents : jetés sur le papier, comme des griffures, ou espacés régulièrement. Utilise des crayons à mine arrondie.

gros points   griffures   touches régulières

gros zigzags   boucles   vagues

61

Frottages à découvrir

La couche fine du crayon de couleur permet de «capturer» des matières. Applique une feuille de papier fin sur différents matériaux : bois, métal, paille, tissu, cuir, et colorie. Les reliefs des matériaux sont reproduits.

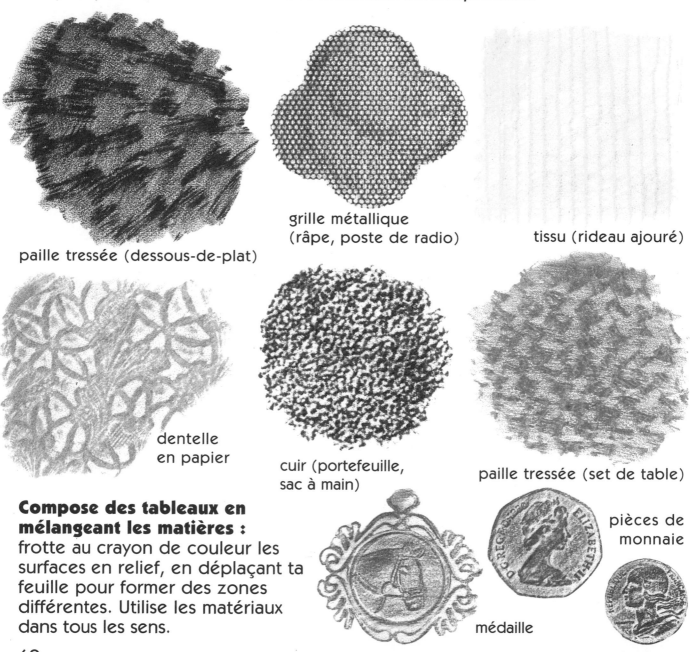

paille tressée (dessous-de-plat)

grille métallique (râpe, poste de radio)

tissu (rideau ajouré)

dentelle en papier

cuir (portefeuille, sac à main)

paille tressée (set de table)

Compose des tableaux en mélangeant les matières : frotte au crayon de couleur les surfaces en relief, en déplaçant ta feuille pour former des zones différentes. Utilise les matériaux dans tous les sens.

pièces de monnaie

médaille

63

Tableaux magiques

Dessine avec un tube de colle transparente comme avec un pinceau : trace des courbes dans tous les sens, des traits, des points. Laisse bien sécher.
Colorie les formes : c'est magique ! Les traits isolent les formes en t'empêchant de dépasser et ils restent invisibles !

Tu peux aussi utiliser le drawing-gum, un liquide caoutchouteux qui s'applique au pinceau. Varie l'épaisseur des traits. Une fois sec, colorie ton dessin, puis retire la gomme : les tracés apparaissent dans la couleur du papier.

65

Crayon de couleur et feutre

La transparence du crayon de couleur donne l'effet lumineux du vitrail. Utilise du papier à dessin lisse et des gros feutres pour cerner ton dessin. En jouant avec les dégradés, ton dessin paraîtra éclairé par en dessous !

Des mini-mosaïques
Cerne des formes au feutre noir.

Grâce au crayon de couleur, colorie facilement les petites surfaces.

Crayon de couleur et gouache

Le crayon de couleur, passé sur de la gouache, accroche plus ou moins sur la peinture. On obtient un effet velouté et transparent qui rappelle la matière du pastel.

Sur la gouache,
les couleurs sont moins
vives. On appelle cela
des couleurs " sourdes ".

69

Collages amusants

Le mélange de papiers foncés et recyclés est intéressant. Colorie des motifs sur du papier de couleur, découpe-les et colle-les sur des papiers recyclés. Voilà des mélanges de matières et des tableaux amusants !

LA GOUACHE

Qu'est-ce que la gouache ?

La gouache, c'est de la peinture à l'eau. Elle se présente sous plusieurs formes :

en godets

en pot
(poudre ou pâte)

en gros tube ou flacon
en petits ou grands tubes,
vendus à l'unité ou par boîte

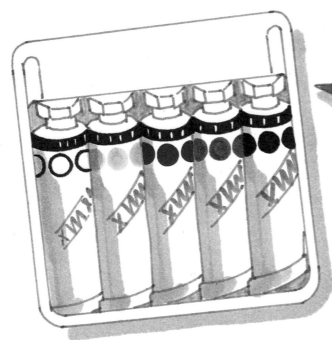

5 tubes de base
(cyan, magenta, jaune primaire,
blanc et noir trichrome)

- elle est opaque, couvrante
- elle sèche vite
- elle s'applique sur de nombreux supports (papiers divers, carton, bois, terre cuite, plâtre, etc.)
- elle peut être utilisée avec du pastel, des crayons de couleur, des craies…
- elle peut être travaillée au doigt, pinceau, rouleau, éponge, etc.

Le matériel

Les pinceaux : ils sont numérotés selon leur épaisseur. Il existe des pinceaux ronds, pointus ou des pinceaux plats (brosses) avec des poils différents.

Choisis des pinceaux ronds de bonne qualité, en petit-gris, synthétique ou soie de porc, de taille large (n° 14 ou 12), moyenne (n° 6 ou 8) ou fine (n° 4 ou 5).

Procure-toi aussi :

pots d'eau (à changer très souvent)
assiettes en carton blanc
ou palette plastique

journaux ou plastique
pour protéger la table

feuilles de papier blanc
épais, à grain

chiffon pour essuyer les pinceaux

Le premier coup de pinceau

Ouvre tes 5 tubes de base et dispose de la gouache sur une palette en espaçant bien les taches. Trempe une brosse large dans l'eau (1). Essuie-la sur le bord du pot (2). Recouvre complètement ton pinceau de peinture, en mélangeant bien (3).

Peins des bandes larges sans interrompre ton geste.
Rince bien ton pinceau après chaque couleur.
Réalise un petit tableau avec les 5 couleurs de base.

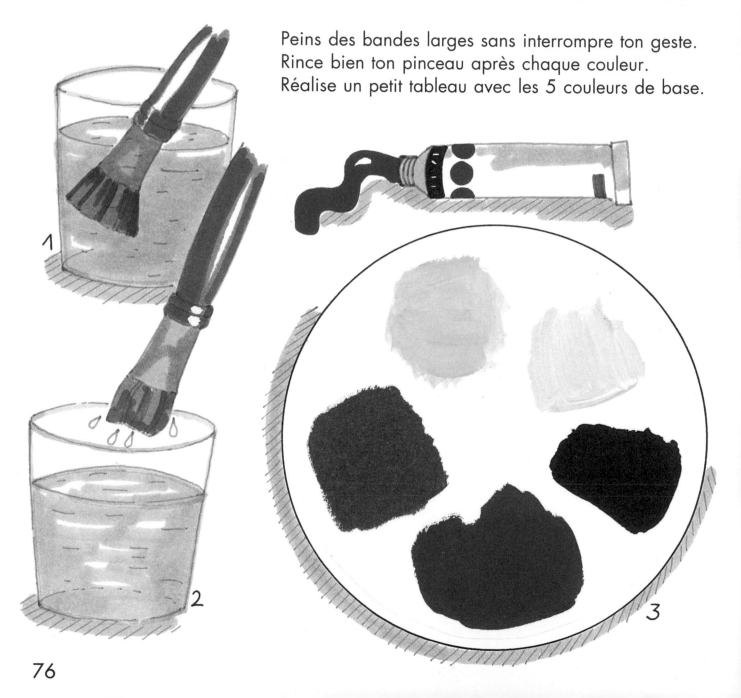

Les mélanges de couleur

Mélange une goutte de bleu dans le jaune : cela fait du vert clair. Ajoute encore du bleu : tu obtiens du vert un peu plus foncé. Mets encore plus de bleu : cela donne du vert foncé.

Découvre quelles couleurs tu fabriques avec du rouge dans le bleu et du rouge dans le jaune. Observe comme les couleurs changent suivant les proportions de ton mélange.

Mélange la même quantité de cyan, magenta et de jaune : tu obtiens du marron.

Mélange le noir et le blanc : voilà du gris, plus ou moins foncé selon ton mélange.

En quelques minutes, avec seulement 5 couleurs de base, tu as fabriqué de nombreuses couleurs.

Et le rose, le bleu clair ?
Tourne la page…

Le blanc éclaircit

Peins une fleur rouge et verte avec un gros pinceau rond. Ajoute un peu de blanc à tes couleurs, et peins la même fleur : elle devient rose et vert clair. Ajoute encore du blanc : voici tes couleurs éclaircies ou « rabattues ». Ce sont des couleurs pastel.

Fais de même avec un nuage bleu ou un soleil jaune. Cherche d'autres couleurs pastel. Utilise ces couleurs pour peindre un tableau très doux.

Le noir assombrit

Peins une autre fleur rouge et verte. Ajoute un peu de noir à tes couleurs et peins la même fleur : les couleurs foncent, deviennent grisées. On appelle ces couleurs des couleurs rompues.

Peins un autre nuage. En y ajoutant du noir, le bleu fonce, tu peux aller jusqu'au bleu nuit et au noir.

Les grands coups de brosse

Travaille debout en fixant un **grand papier** noir sur un mur **protégé** ou un chevalet. Choisis 2 grosses brosses. Peins de grands traits avec les deux mains en même temps vers la droite et vers la gauche.

Des traits appliqués rapidement donnent un effet dynamique, spontané. Avec des couleurs vives, réalise un feu d'artifice.

Pour imiter les bouquets, utilise un gros pinceau rond chargé de gouache. Éclabousse ton dessin en projetant de la peinture avec ton pinceau : tu obtiens des taches de taille différente. Projette plusieurs couleurs. Fais sécher ton dessin à plat.

83

Les à-plats de couleurs

Il y a plusieurs manières de peindre à la gouache. Selon ce que tu veux représenter (paysage, portrait, objet) et ce que tu as envie d'exprimer (calme, mouvement, douceur ou violence), tu peux choisir la peinture **en à-plat** ou **en volume**.

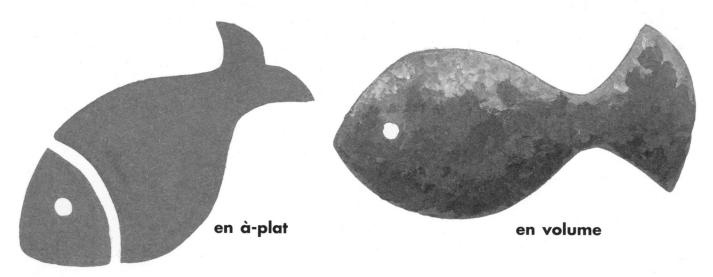

en à-plat   **en volume**

Les à-plats : la gouache est appliquée en couche uniforme, régulière. Pour obtenir un fond uni, passe une couche dans un sens (1), puis sans attendre, une autre couche dans l'autre sens (2). Stylise - c'est-à-dire simplifie - tes formes, peins-les comme si elles étaient découpées : leur contour doit être net.

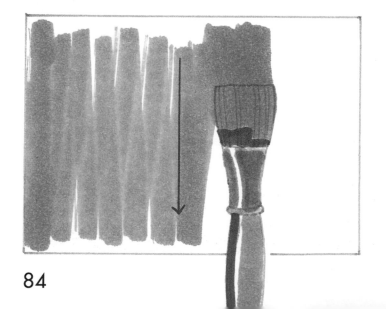

Les volumes

Comment donner l'impression du volume ? du relief ? de l'épaisseur des objets ?
Pour peindre le **volume**, on doit représenter la lumière. Chaque objet a un côté
ombre et un côté lumière.
Peins ce rond en à-plat : applique une couleur plus foncée sur un de ses côtés. Pro-
cède par petites touches ou en tapotant ton pinceau : on dirait une boule.

rond   **boule**

Pour bien peindre le volume, essaye
de passer du clair au foncé le plus doucement possible.

Place des fruits et légumes dans un
plat. Observe la lumière et peins-les en
volume.

Le: effet: tran:parent:

La gouache peut aussi se travailler avec beaucoup d'eau, comme l'aquarelle. Tu peux jouer avec la transparence pour faire un fond.

Mouille une feuille avec de l'eau. Avec un gros pinceau rond ou plat, plein d'eau, prends un peu de couleur et étale-la sur le papier : les couleurs se diluent et se mélangent.

Tamponne une éponge humide sur ta palette ; applique-la légèrement sur le fond pour créer une matière. Laisse sécher. Puis peins un portrait à l'encre de Chine, avec un pinceau moyen, en variant l'épaisseur des traits.

Gouache et crayons de couleur

La gouache se marie bien avec les crayons de couleur. Plus faciles à manier que des pinceaux, ils te permettent de tracer des détails sur des motifs peints. Choisis des crayons nettement plus clairs ou plus foncés que les formes peintes : ici, rayures, poils, plumes, écailles se détachent bien sur le fond.

En coloriant tout doucement sur la gouache, tu peux ombrer ces formes en leur donnant un relief velouté.

Gouache et craies grasses

Tu peux travailler la gouache avec des craies grasses. Avec une brosse large, peins un fond en à-plat. Laisse bien sécher. Choisis des craies grasses plus foncées ou plus claires que ton fond. Dessine des motifs en appuyant bien. Tu peux aussi colorier très légèrement sur la gouache pour obtenir un effet transparent et velouté.

Pour t'entraîner,
compose un patchwork.
Enrichis ton dessin en jouant avec
les hachures, les points, les traits.

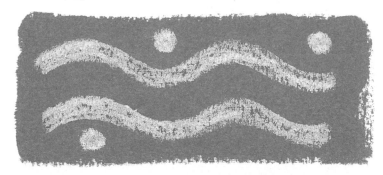

93

Drôles d'empreintes

La peinture au doigt

Quels meilleurs pinceaux que tes propres doigts ? En appuyant plus ou moins fort tes doigts enduits de gouache sur la feuille, peins de petites touches côte à côte (ici, les fleurs). Travaille sur du papier recyclé ou de couleur. Trace les traits (ici, les tiges des fleurs) au pastel ou au pinceau.

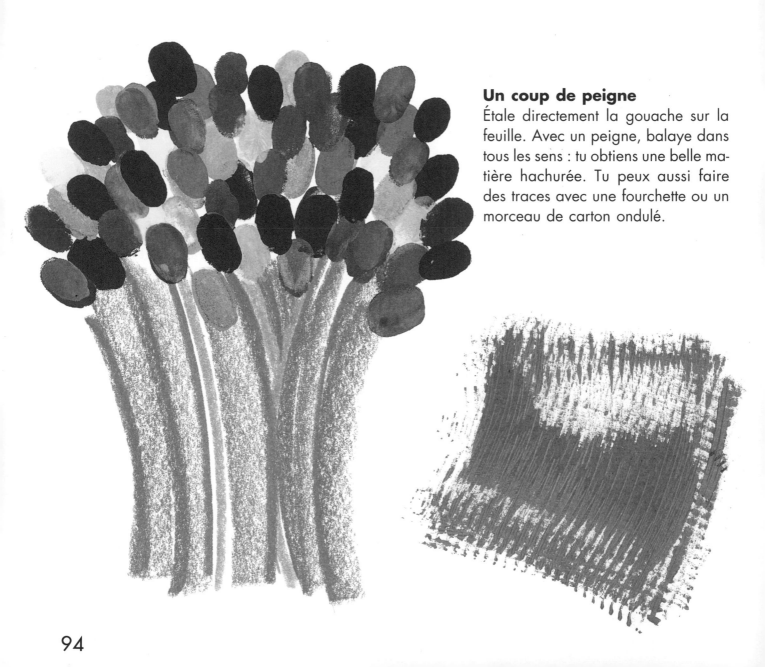

Un coup de peigne

Étale directement la gouache sur la feuille. Avec un peigne, balaye dans tous les sens : tu obtiens une belle matière hachurée. Tu peux aussi faire des traces avec une fourchette ou un morceau de carton ondulé.

La peinture au Coton-tige

Trempe le bout d'un Coton-tige dans la gouache. Applique-le sur le papier : tu imprimes un point. Dessine des formes avec des points serrés. Change de Coton-tige pour chaque couleur.

Avec une pomme de terre

Découpe un bâtonnet carré dans une pomme de terre. Trempe l'extrémité dans de la gouache assez épaisse. Tamponne le papier. Réalise une jolie mosaïque multicolore.

Peinture-papillon

Plie une feuille de couleur en deux puis rouvre-la. Presse directement tes tubes sur le papier en formant des petits tas ou des zigzags. Replie ta feuille. Presse-la très fort. Ouvre ton dessin : un magnifique papillon apparaît en symétrie.

95

Table des matières

Loi n°49-956 du 16 juillet 1949 sur les publications destinées à la jeunesse.

© Groupe Fleurus, Paris, 1997 - Dépôt légal : avril 2003 - ISBN 2-215-02326-0 - ISSN 1257-9629
Imprimé par *Partenaires-Livres*® / cl, France - 4e édition - n° 93465